따뜻핸 기분

차례

그 자리, 그 햇살에 너를 앉혀라

내 삶의 거푸집

마음만 먹으면, 마음을 담아
마음이 이끄는 대로

너에게 배운다

같이 참 좋아

그 자리 그 햇살에
너를 앉혀라

조금은 가라앉은 듯한 기분이
나는 차라리 낫다
발바닥이 온전히 땅에 닿은 듯한 기분에
나는 차라리 안정감을 느낀다
내가 어디로 향하고 있는지
내 시선이
내 마음을 온전히 좇는 듯한 기분이 들어
조금 낮게 있는 내가
나는 차라리 가장 흐뭇하다

조금 실망스럽고
조금 아쉬운 듯한 그런 마음이
왠지 나는 가장 사랑스럽다

이따금씩,

햇살 아늑한 자리에 차분히 앉아
충분히 겸손한 마음을
오롯이 간직할 수만 있다면
그게 나는 가장 행복할 것 같다

인생은 레일 바이크

과정 같은 날들이었다.

알았다면 그리 들뜨지도,
설레발치지도 않았을지도 모를,
알았다면 덜 절망적이었을지도 모를.

불안과 힘듦을 모르는
제 3의 길이 있었을 거라는 아쉬움이
소중한 지금을 수도 없이 할퀴어가며
여기까지 왔다.

하지만, 레일 바이크를 타는 듯이
어쩌면 우리는 열심히 페달을 밟아 나아갈 뿐,
안장 위에 몸뿐 아니라 마음도 내려놓고
열심히 바람을 느끼고
풀 냄새 맡고 먼바다를 감상하며
그저 나아가면 됐을 날들.

마치 선택처럼 보였던 과정들을
단지 겸허히 음미하며 지금에 충실할 것을.

오늘 나를 비추는 거울

내가 만나는 세상은
나를 비추는 거울.

삶은
매일 수많은 자신을 만나는 과정의 연속.

사람에게는 기대하지 마, 기대지 마.
실망하지 마.

매일 나는, 나를 만나고 겪을 뿐이니까.

내가 만든 세상

'보통의 나'는 내가 힘든 줄만 안다.
'저 사람은 내가 힘든 걸 모른다'는 것은 모른다.
'보통의 나'는 저 사람이 괜찮은 줄 안다.
생을 살아내는 누구라도
힘들지 않은 사람은 없다는 것은 모른다.

보통의 내가
인생은 누구에게나 녹록지 않다는 것만
매 순간 잊지 않았어도
어쩌면 내 세상이
조금은 내게 유했을지도 모르겠다.

차가운 사람은 어쩌면 외로운 사람

힘이 들면 미간부터 찌푸려져.
나가는 말부터 곱지 않고
누굴 따뜻하게 봐 지지가 않아.

내가 냉정해 보인다면
내 마음이 시리기 때문인데
아무도, 누구도, 그렇게는 봐 주지 않더라고.

내 눈빛이 차가운 것,
내 말투가 날이 선 것,
내 표정이 서늘한 것,
그것만 보더라고.

내가 외로운 건 모르더라고.

당연한 것은 없어

알아달라는 거였지.
내가 지금 힘들다는 걸
내가 지금 외롭다는 걸
알아달라는 거였지.

그게 습관이 됐던 거였지.

나이만 먹었지,
투정하고 의지하는 마음을 지닌 채로 산 건
'어렸던 나'로 여전한 거였어.

기대하지 말자, 기대지 말자.

나의 등을 받치고 있는 누군가라도
당연해서 그러고 있었던 적이 없단다.

그 '욕심'이 어쩌면 나를 살게 했는데

'욕심'은 한 사람의 됨됨이,
선함과 악함과는 조금 다르다.
욕심은 오직 돈과 결부해 생각하게 마련이라,
나도 몰랐다, 나도 욕심쟁이였더란 것을.
힘들다고 징징댔던 것도,
서운하다고 징징댔던 것도,
심지어 아이를 더 낳지 않는 것도
내가 욕심쟁이라서다.

어떤 욕심들을 원망했다.
그 욕심들 때문에 내가 너무 힘들었다고,
그리고 지금 너무 힘들다고.
그런데 생각해보면 그 욕심이라는 것 때문에
어쩌면 내가 여태 살았을지 모를 일이다.
욕심은 상황과 진행 방향에 따라
사랑의 모습을 하고 있기도 하니까,
지금 나처럼.

누구의 욕심도 탓하거나 원망하지 말자.
내겐 그럴 자격이 없으므로.

세상 나 같은 욕심쟁이도 없을 텐데.

아플 만큼 아파야 낫는다

아플 땐 아플 것 말고는
어쩔 도리가 없는 법일 때가 있다.
술병처럼, 감기처럼.

뭘 먹어도, 몸져누워 있어도
나을 때가 되어야 낫지,
다른 무엇도 일절 도움이 안 되는 상황이 있다.

**아픔을 당장 딛고 일어날 수 있을 거라고
착각하지 말 것.**

**시간이 필요하다.
그냥 온전히 느끼고 감내하고
감당하며 지나쳐야 할 절대 시간.**

총량의 법칙

비교도 한탄도 내 인생에
아무런 도움이 되지 않아.
우린 모두
타고 난 절대값에
충실한 삶을 살고 있을 뿐.

누군들, 오늘 옮긴 짐이 많았다면,
내일은 숨 좀 돌리겠지.

필요하지 않은 경험은 없어

우리가 만나게 되는 모든 경험은
각자에게 반드시 필요한 경험인지라

때로는 아무 것도 할 필요 없이
상처받고 분노하거나
끝모를 고뇌를 반복하며
숨막힐 듯한 영혼의 고통을
적나라하게 느끼는 수 밖에는
어쩔 도리가 없지만

그럼에도 이 악물고 버티며
한 걸음씩 떼어
나의 오늘을 질끈질끈 밟아 나아가다 보면

그 고된 경험이
왜 우리에게 필요했는지를
깨닫는 날도 올 거야, 언젠가는.

때로는 주저하는 것도 순리

.....
그럼에도 모든 것에 주저된다면,
지금은 그저 주저하는 것이 어쩌면 순리.

주저하는 스스로에게 '관대한 것'이
우리가 할 수 있고, 해야 할,
최선일는지도 모른다.

그나마 타격감은 없잖아

운이 내 정수리를 땅땅 쳐댈 때가 있다.
그럴 땐 그냥 아예 낮게 있자.
나서지 말고 , 튀지 말고 , 나대지 말고.

쭈구리가 되지 말고 그냥 쪼그려 앉자.
마치 쉬고 있는 사람 처럼.

그럼 적어도 타격감은 없을 테니.

하루씩만 살자

오늘만 살아, 하루씩 살아.
지나간 날도 나의 날이 아니고
다가올 날도 아직은 내 것이 아니야.

아침에 눈을 뜰 때에
태어남을 느끼고,
늦은 밤, 잠자리에 들 때에
오늘의 삶에 온점을 찍듯이..

하루씩만 살아.

마음이 무거운 날

매번 마음을 새로이 먹는 일만이 중요하다.

빨리 잊고 빨리 비우고
밝은 것, 따뜻한 것, 싱싱한 것, 희망찬 것으로
늘 내 마음을 가득 채웠으면 한다.

혹, 모든 것이 인연에 의함이라면
빨리 신선한 새 마음이 새겨질 때가 오기를
묵묵히 바랄 뿐이다.

불안

그러니까, 그 불안을 위해서라면
아무것도 할 필요가 없어.
그것이 스스로 작아질 때까지.
마치 드라이아이스처럼,
'시간이 지나면' 알아서 사라질 불안과 걱정에
굳이 지금 손을 댔다간 되려 낭패야.
그러니까, 그냥 내 할 일 해.
그저 일상을 살라구.

자책까지 해야 해?

때로는 행복과 불행이
나로부터라는 발상조차 부담스럽다.
어떤 날엔 행복하지 않은 것도 서러운데
자책까지 해야 하나 억울한 생각이 든다.

감정을 내가 의욕할 수 있다는 생각이
어쩌면 오만이고 허상이겠지.
바람 따라 움직이는 구름을 좇듯
그저 의식의 흐름을 부지런히 따라가며
때로는 위태롭게 흔들거리는 나를
오직 바라보고 받아들이고 담담하기,

내가 할 일은 어쩌면 그것뿐인지도 모를 텐데.

감정을 조절할 수 있다고 생각해?
우리들은 행동을 조절하기 위해 애쓸 뿐이야.

감정은 그 다음의 얘기.

균형잡기

커다랗게 기울져 있던 흐름의 균형을 위해
얼추 무게가 맞아 보이는 추 하나를
저쪽 끝에 툭! 하고 얹은 것처럼
갑자기 그 저울이 기우뚱기우뚱
누가 보면 맥락도 없이 울렁댄다.
나는 지금 입김을 호, 하고 불기만 해도
툭! 하고 내려질 듯,
널빤지 끄트머리에 위태롭게 선 채로
널을 뛸까 말까 어쩔 줄을 몰라 한다.
두 팔 벌려 위태롭게 외줄을 타는 듯이
이쪽으로 한 번 쏠렸으면
저쪽으로 또 한 번 크게 쏠리는 것처럼,
균형을 이룬 듯 보이는
많은 것들의 역사가 다 그렇지.
시간아, 그냥 흘러라,
내가 괜찮아질 때까지.

흘러가는 대로

모든 것에 쉽게 짜증이 나던 그때에도
그 모든 것들엔 실상 하등의 잘못이 없었다.

**인과가 늘 명확한 것은 아니었음을
잊지 말자.**

생각은 적당히 해 두고
때로는 모든 것이 그저 흘러가도록
내버려 두는 게 최선이야.

다 이유가 있어

지나고 보면 다 이유가 있더라.
이유가 있어서 운 줄 알지만
울어야 함이 이유일 때도 있더라.

배꼽을 잡는 웃음이 길면 울 일이 생긴다던
개연성 없어 보이던 그 말이
어느 순간 어렴풋이 이해되더라.

'끝 가는 날 있겠지.'
그 옛날 우리 할머니가 자주 했단 그 말처럼,
있잖아, 덜컹거리는 길이 길어도
그 끝은 있지 않겠니.
내가 좀체로 알기 어렵던 그 말들을
이해하는 날이 올 줄 누가 알았겠냐는
지금 나처럼 말이야.
알 수 없는 내일은 분명, 지금과는 다를 거야.

오늘은 무엇을 비울까

먼지만 쌓인
그 굳어진 에너지를 짊어지고 있자니
벌써 기진맥진 해.

언제든 무언가를 위해
우린 늘 새로워야 하니까,

수시로 점검하고
에너지를 최대한 자연 상태로 풀어놓자.

마치 원래 가진 아무것도 없는 것처럼.

정신 바짝 차리자

말에 거침이 없네.
생각이 한 곳에 멈추어 있지 않네.
나는 지금 꽤 살 만하구나.

바쁜 가운데에도 생각은 흐르니
이보다 더 한 행복이 어디에 있을까.
혹시 이런 내가
다른 누굴 경솔히 대하지는 않을까.

너무 힘들어도, 혹은, 꽤 살만해도
내가 그 양 끝에 서 있을 땐
정신 바짝 안 차리면 남에게 상처주기 십상이라,

더 다듬어져야
그럭저럭 살 만한 잠시 잠깐의 호시절에도
남에게 상처 주지 않는 꽤 보들보들한 옷이
내 몸처럼 편해질 텐데.

강해져야 해, 우선

나는 남에게 해를 끼친 적이 없는데
자꾸자꾸 나는 애 쓰는데
달라지는 게 없니.

강해지려고 하기 전에
잘 해보려고 해서 그래.
약해서 그래, 순서를 몰라서 그래.
당하면 계속 당하고
상처받으면 계속 상처받아.

그렇게 만신창이가 된 마음으로는
아무것도 대하지 마.
아무것도 기대하지 마.

스스로 속부터 강해지기 전에는.
진심으로 새로워지기 전에는.

상처받지 마

타인의 말이나 행동에 상처받았다면
이미 내 안에, 나를 보는
자조적인 그 시선이 있었기 때문이다.

그러니까, 타인 때문에 상처받지 마.

내가 자존심 상할 일은
타인이 내게 던진
어떤 눈빛이나 말이나 행동이 아니라
그로 인해 내가 상처받았다는
오직 그 사실 뿐이야.

그러니까,
경솔하고 저급한 타인의 무엇 때문에
괜히 혼자 상처받지 마.

오롯이 나와 함께

외로움, 허전함은
타인과 나의 거리 때문이 아니라
나와 내 중심 간의 거리에 기인한다.
나와 내 중심이 멀어졌을 때,
타인과 함께이거나 타인에 대한 생각 등으로
한동안 내 중심이 흔들리고 이탈했을 때
즉시에는 몰랐다가 어느 순간 느끼게 되면서
나와 내 중심과의 멀어짐을 타인과 멀어짐으로
착각하고 일으키는 감정이다.
그래서 마음을 가다듬고 사색을 하고
책을 읽거나 공부를 하는 등
오롯이 혼자인 침착한 시간을
충실히 보내고 나면
다시 내면이 충만해지고
이내 평화를 찾게 될 수 있는 것이다.
언제 어떤 순간에라도, 외롭거나 힘들수록
나의 중심을 꼭 붙들어 매자.

평상심을 찾자

'좋은 게 좋다.'는 방식을 좋아하지만
그를 일관되게 고수할 수는 없는 노릇이므로
때로는 흡사 공격과도 같은 방어를 하다 보면
마치 위험한 상황을 모면하려
갑자기 액셀을 세게 밟아
한껏 가속이 붙은 차를 운행하는 것과 같은
그런 상태가 돼 버린다.
쉽게 조바심이 나고 쉽게 흥분하며
묵묵히 관망하는 자세로 돌아가는 일이
쉽지 않다.
심호흡 한 번하고 다시 느리고 낮아져야지.
나조차 싫은 그런 모습으로
또 잠시 살았더라도 고상하게 낮아져야지.
너무 깊이 꺼지지는 않기 위해
자존감만은 어떻게든 사수한 채로
고요한 사막을 걷듯
다시 뚜벅뚜벅 지금을 살아야지.

자연스러움

자연스러움, 그것을 먼저 늘 생각해보기.
인위적인 것의 시작과 유지에 드는
버거운 에너지는
누군가는 짊어져야 하는 법.

있는 그대로가 어쩌면 불편해도
그 불편을 받아들이며 사는 것이
가장 가뿐하고 인간적인 것.

나는 모순덩어리

책은 좋아하지만, 책을 잘 읽지는 않는다.
술은 좋아하지만, 술을 잘 먹지는 못한다.
사람을 좋아하지만,
사람을 거의 만나지 않는다.
힘든 여행은 싫지만, 여행 이후의 삶은 좋다.

나의 발상과 나의 경험은
늘 이렇게 내 인생처럼 모순적이다.

그래서 참 힘들고 고되다.

자아성찰

배려심이 많은 게 아니라
불편한 기류를 못 견디는,
상냥한 게 아니라
어색한 시간을 못 견디는,
결단력이 있는 게 아니라
힘듦을 못 견디는.

가끔 배려심이 있기도 하고
때로 상냥하기도 하고
이따금 결단력이 있기도 하지만

그보다는,
'견디는 힘' 그것이 부족한 거였구나.

견뎌낼 힘은 없으면서
빨리 괜찮아지고 싶은 욕심만 가득했구나.

인생

누군가와 '함께'여야 하는 시간,

서로 또는 그 무엇과 일정한 거리가 필요한 시간,

차곡차곡 쌓인 것들을 비워 내야 할 시간,

나를 위해 밥을 먹고 차를 마시고

책을 읽을 시간,

조금씩 많은 것들이 제자릴 찾는 시간,

그러다 또 마음껏 누리는 방황을

아무 생각 없이 허락하는 시간,

그렇게 반복되는 '꼭 필요한 시간'들의 합.

인생은 원래 불공평한 것

박차고 디딜 때마다 내 발이 밀리는 기분.
언 땅처럼, 얕은 갯벌처럼,
얇게 깔아둔 담요처럼,
그 위에 내가 선 것처럼.
내가 디딘, 나의 발 아래는 적당한 마찰력으로
나를 지지해 주지 못하고
'해봐라, 나는 모르겠다.'라며 비웃듯
시시때때로 나를 방관하거나 혹은
짓궂게 밀어내는 기분.

팔자를 탓하다가
결국 이르는 생각의 지점은

[팔자는 다만 내 주제를 이를 뿐이다.]

그냥 겸허히 살아야지.

내게 가장 걸맞은 삶

누구에게나 시간과 에너지는 한정되어 있고
사람마다 타고난 에너지의 총량은 다르다.

내 종지만 한 에너지와
대접만 한 예민도로 보건대,

**내게는 지금의 내 삶이
어쩌면 가장 내게 걸맞다.**

어느 날, 내가 찍은 사진이 예뻐 보여

부족한 것만 발에 거치고 눈에 밟히는 기분,
'그냥 있는 그대로'를 인정하는 게
나는 언제나 힘들었거든.

전보다 예뻐진 것 같아, 내가 찍은 사진이.
내가 그리 보아서일까,
있는 그대로 받아들이자고 매일 외는
내 주문 덕분일까.

나는 아직도

자주 내가 싫다.
종종 내가 부끄럽다.

하지만 나는
가끔 나를 자랑스러워하고
가끔 나를 측은히 여기고
가끔 나를 참 좋아한다는 것을 안다.

그거면 됐다.

내 삶의 거푸집

내 삶의 거푸집

따뜻한 마음과 사려 깊음이면 충분할 만큼
그다지 내실이 있거나 세련된 편이 못 돼서

선한 마음과 의지에도 불구하고
나의 행실이 이따금
천진과 친근을 빙자한
무례의 경계를 오갈 법도 한 탓에

때로는 다짐을 한다, 잊지 말기를.
나의 가치관과 나의 바람과
나의 마음을 한데 모아 시끄러이 뚝딱여
아주 정교한 거푸집을 하나 만들어
매일의 나를 쓸어 담기를 반복하는 것,
어쩌면 사는 내내 그리 해도
모자랄 삶이라는 것을.

이기는 마음으로 산다

귀찮은 마음보다
멋져 보이고 싶은 마음이 우세하면
나를 가꾸며 산다.
심신의 안정보다
물질적 풍요의 갈망이 우세하면
돈 버는 일에 더 몰두하며 산다.
미운 마음보다
안쓰러운 마음이 우세하면, 참고 산다.
두려운 마음보다 설레는 마음이 우세하면
시도하고 도전한다.
불행한 마음보다 행복한 마음이 우세하면
인생은 살 만하다고 느낀다.

사람들은 모두 대립하는 감정을 끌어안고 산다.
그 둘 중, 이기는 마음을 전부라고 느끼며 산다.

쉽게 외롭거나 무기력하다고 해서, 남들과 달리
어두운 정서로만 가득한 것은 아니다.

누구나 가진 양가감정 중에
내 안에서는 주로
부정적인 감정이 이기는 것뿐이다.

철없는 양 밝게 살고 싶다면,
낭만 속에 살고 싶다면,
비현실 같도록 반짝반짝 살고 싶다면
그리 살면 된다.
내 안에 없는 마음을 일으키는 것이 아니다.

용감하고 설레고 희망찬 마음에
힘을 실어 주면 된다.

그 마음들이 이기도록 내가! 도우면 된다.

마음이 마음을 가린다

커다란 마음을
그 보다 아주 조금 더 큰 마음이 가린다.
가리워져 보이지 않는다고
한 가지 마음만 있는 줄로 오해하지 말자.

너무 많이 두려워 말고
기대하는 마음을 찾아 응시하기를.

너무 많이 화내지 말고
측은히 여기는 마음을 찾아 응시하기를.

지금 조금 더 소중한 것이
그 보다 조금 덜 소중한 것을
가리고 있지는 않은지
마음의 시선을 바지런히 움직여 보기를.

나의 리듬이 널을 띈다

나의 리듬이 또 널을 띌 때,
기분은 내려앉고 스스로가 하찮게 느껴질 때,
무엇에도 자신이 없고
알 수 없는 불안감이 엄습할 때,
햇빛 충만한 거리를 목적 없이 걷는 것만으로도
그 모든 부정적 감정이
한결 경감될 것을 알면 돼.
감정마저 책임지려 자책 말고
바람이 불고 비가 오는 날을
내가 어찌할 수 없는 것처럼
마음이 한없이 가라앉고 울적한 날도
마치 그러한 날이 끝도 없이 이어질 것 같은
그런 험한 기분이 드는 것도
내가 어찌할 수 없는
자연스러운 리듬이라는 것만 알면 돼.
행복이 영원할 수 없는 것을 모르는 것만큼
불행 또한 영원할 수는 없다는 걸 모르는 것도
또 다른 교만이라는 것만 기억하면 돼.

그냥 견디면 돼.
무엇 때문에든, 누구 때문에든

그런 거 의미 둘 것도 없이

희망도 무거우니까
그도 잠시 내려놓고

그냥 견디면 돼.

모든 것에는 때가 있다

용서와 이해는
'하는 것'이 아니라 '되는 것'이다.
시기가 되어야 하고 계기가 있어야 하고
원망이나 오해가 그 나름의 수명을 다해
소멸을 해야만 하는 것이다.
속으로 울고 있는 누군가에게
섣부르게 충고를 하거나
답답하다는 듯 그를 보아서는 안 될 일이다.

세상에 '스스로 해낼 수 있는 일'이란
주어진 삶과 주어진 감정이 무엇이든 간에
묵묵히 짊어지고 걷는 것뿐이다.

세상에 '타인을 위해 해줄 수 있는 일'이란
타인의 볼품없는 고민과 고뇌와 고통이
기다랗게 내게까지 그늘을 드리워도
진득하게 그 피로를 함께 견디고
나의 온기를 내내 나누어 주는 일뿐이다.

누군가가 걱정된다면
할 수 있는 일은 딱 한 가지야.

함께인 그 순간에 성실할 일,
최선을 다해 따뜻하게 굴기 위해
노력할 일.

말

말은 글보다도 더 작은 창.
말은 글보다도 더 흐린 창.

마음이 커다랄수록
말은 마음을 다 담을 수 없어
오해만 낳을 뿐이고

마음이 혼란할수록
말은 희뿌연 그것만 어지러이 담아
허무만 남을 뿐이다.

마음을 주절거리면
제아무리 진짜는 커다랗고 담백할지라도
가장 혼란한 작은 마음 조각만을
작고 흐린 창에 드러낼 뿐이다.

말로는 돕지 못한다

돕겠다고 하는 말은 있어도
도움을 주는 말은 세상에 없다.
'생각해서 하는 말인데' 치고
진정으로 따뜻한 말은 없는 법이다.
혹여 기껏 생각해서 말해줬다고 해도
인연에 많은 말이 끼어들면
악업만 남기기 십상이다.

말의 생산성은 의외로 적다

꼭 필요하지 않은 말이라면 안 해도 돼.
조금 불편해도,
조금 억울해도,
조금 아쉬워도.

말로는 어차피 크게 안 바뀌어.
나를 보는 누구의 시선도, 오해도.

———— 질문을 하지 않은 대부분 상대방은
어차피 이미 귀는 닫혀 있거든.

말의 무게

말의 무게가 얼만지 헤아림 없이
너무 쉽게 그것을 던지지 말자.
들어서 박힌 말, 뱉어서 지은 죄, 그 어느 쪽이든
감당에 많은 에너지가 필요하니까.

우리는 무언가 해결하려 말을 하지만
따뜻하고 사려 깊고 아름다운 그것이 아니라면
그 어떤 말도 결코 약이 될 수는 없어.

우리는 조금이라도 가벼워지고 싶어
말을 하지만
말이란 것은 뱉는 순간
되려 엄청난 무게로 화자와 청자를 포함한
모든 우주를 압도 압도하는 법.

해결의 신이 있다면 그것은
말이 아니라 오로지 시간뿐이야.

말의 방법

목소리에 네 표정이 가려질세라
내 목소리를 낮추고

말소리에 내 생각이 가려질세라
단어를 순화하고

말걸음에 내 마음이 가려질세라
말의 속도를 늦추고

따뜻하게 눈으로 이야기하고
침묵과 정적을 겁내지 말고.

언제나 당당하게

내용이 미흡하다고 해서
태도까지 흐트러지도록
내버려두어서는 안 된다.

스스로 성에 차지 못해도

삶에 성실했다면
매 순간 떳떳할 수 있는 것도
내가 키워내야 할 능력의 한 부분이다.

담담하고 담백하게,
의연하고 용감하자.

상황은 언제나 바뀌는 법

사람은 대부분
나의 이익을 양보할 수 있는
범주 안의 희생을 할 뿐이다.
개인의 취향과 가치관과 상황에 따라
사람 간의 결정이 엇갈리거나
혹은 일치할 뿐인거다.

내가 하는 희생만 고귀한 줄 믿고
남의 결정은 폄훼하는 우를 범하지 말자.

그 타인이 다른 무엇에 대해서는
나보다 고귀한 결정을 할 때도 있으니.
내가 헐뜯는 그 타인보다 내가 더
비겁하고 저열한 모습일 때도
분명히 있을 터이니.

인생이 원래 그래

인생은 원래 힘든 거야, 힘들어도 견디는 거야.
그리고 네가 만약, 지금 인생이 꽤 만만하다면
그건 누군가의 희생 위에
네가 있기 때문인 거야.

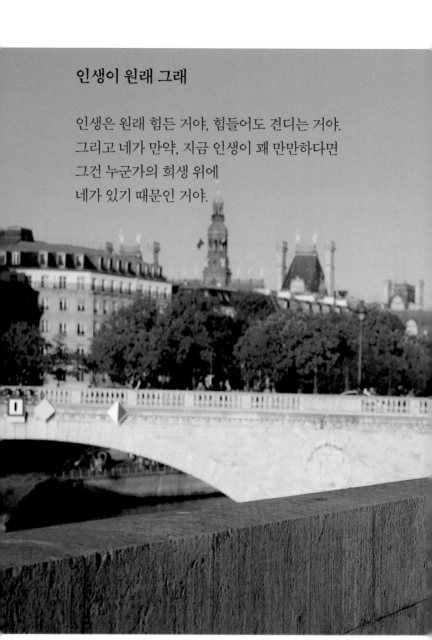

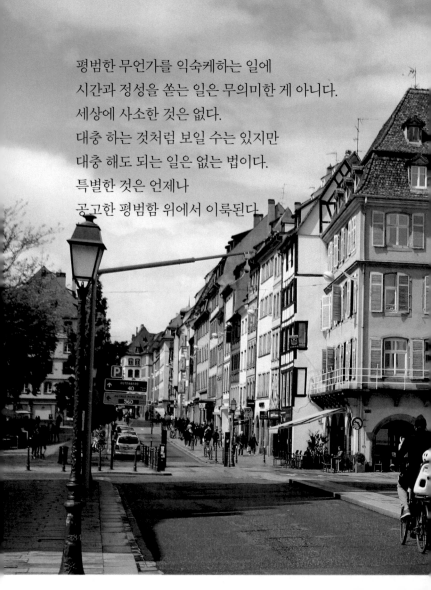

사소한 일은 없다

평범한 무언가를 익숙케하는 일에
시간과 정성을 쏟는 일은 무의미한 게 아니다.
세상에 사소한 것은 없다.
대충 하는 것처럼 보일 수는 있지만
대충 해도 되는 일은 없는 법이다.
특별한 것은 언제나
공고한 평범함 위에서 이룩된다

그렇게 견디어 쌓는 날들이 전부다

외롭고 힘들고
무언가 어긋나 돌아가는 것 같니.

용기를 갖고 인내하면 된다.

인생은 그렇게 견뎌 쌓는 날들이 전부다.

지나온 길은 참 쉽다.
지금 가진 것들은 그 과정이 꿈 같다.
그날들이 얼마나 치열했는지를
굳이 복기할 필요는 없다.

다만 지금의 순간들도
제아무리 힘들지라도
그렇게 흘러갈 것이라는 사실만
확신하며 살길.

들뜨지 말자

내가 들떠 있으면
무례한 사람의 들뜬 감정이
눈에 확 들어오지 않는다.

더 이상 선 넘지 못하도록
메세지를 주거나
방어해야 할 때를 놓치기 십상이다.

그러고는 현명하지 못했던 자신의 대처에
뒤늦게 혼자 속 끓이게 된다.

항상 발은 바닥을 굳게 딛고,
뒤꿈치에 추를 하나 매단 듯
느리고 무겁고 침착하게, 오늘도,
들뜨지 말자.

남에게 내 기분을 맡기지 말자

환영에 들뜨지 말자.
인정에 으쓱하지 말자.
칭찬에 기뻐하지 말자.
무관심에 섭섭해 하지 말자.
비난에 주눅들지 말자.
무시에 서러워하지 말자.

남에게 내 기분을 맡기지 말 것.

타인은
나의 가치,
나의 행복과 아무 관련이 없어야 한다.

내 인생은 내가 주도해야 한다.

깨어있는 연습

우리는 많은 것들을
직감과 경험으로 알고 있지만
중요한 것은,
필요한 순간에 필요한 정보를 알아채기가
쉽지 않다는 것이다.

내가 알고 있는 것들이 북적이는 기억들 속에서
상황에 맞게 반짝반짝 빛나 주길 바란다면

우리는 자꾸 깨어있는 연습을 해야 하고
순간순간 적절한 생각을
다시금 떠올리는 훈련을 반복해야 한다.

적당한 무엇

적당한 스트레스는 건강에 이롭고
적당한 민폐는 친밀감을 높이고
적당한 거리는 신비감을 주고
적당한 그리움은 마음을 촉촉하게 하고
적당한 호기심은 즐거움을 준다.
적당해서 나쁜 것이 있을까.

심지어 적당한 우울감은 현실을 직시하고
사람을 침착하게 만드는 장점이 있고
감기도 적당하면
신체가 휴식을 취하게 해 주는 순기능을 한다.
과하지만 않게,
뭐든지 적절한 때에
적당히 찾아오는 '무엇'은
삶에 약이 될 수 있다.

싸울 이유가 없다

반복적으로 나를 힘들게 할 것 같은
또 봐야 하는 인연이 아니라면
누구하고든 싸울 이유가 없다.

세상 어떤 삶이라도
깜냥껏 인내하며 사는 인생이거나
인내심이 모자란 인생이거나 둘 중 하나.

나를 불편하게 하는 누군가 역시
무엇에 대해서든 홀로 참다가 터졌거나
인내할 줄 모르는 사람이거나 둘 중 하나.

이유가 무엇이든 가엾게 여길 일이지
같이 싸울 이유는 없는 것이다.
무엇보다, 대거리의 가치가 있는 사람이었다면
애당초 쉽게 누군가의 감정을
상하게 하지도 않았을 것이니.

어제 말고 지금을 보자

기억이란, 새로운 경험에 의해
덮여가며 쌓이는 것.
상처를 치유할 수 있는 가장 좋은 방법은
다음 번의 더 나은 경험이다.

더 나은 내가
더 나은 언행으로
더 나은 경험을 만드는 것이
어제의 나를 만회할 수 있는
최선이다.

포기하지 말자

습관을 고치기 어렵듯이
오래 익힌 학습도 쉽게 증발하지 않는다.
학습으로 말미암은
개인의 생각이나 행동의 패턴이
타고난 성향을
이기는 지점이 올 수 있다고 믿는다.
오래 지녀 온 것은 무엇이든
누적된 시간만큼 무거운 법이니까.

노여워할 것 없다

의지하지 않으면 기대하지 않는다.
기대하지 않으면 실망하지 않는다.
실망하지 않으면 노여워하지 않는다.

누군가에게 화가 났다면
기대하는 마음을 가진 것,
더 나아가 의지한 것이 된다.
내 마음의 키를
그 타인에게 내맡겨 의지한 것이다.
누가 내게 화를 낸다 해도 마찬가지다.
결국 분한 감정을 표현하는 사람은
심리적인 약자인 셈이다.

남에게 의지하지 않고 기대하지 않으며
오롯이 혼자의 힘으로 섯는
독립적인 사람은
시시비비를 냉정하게 가릴망정
타인에게 쉽게 화를 내지 않는다.

가까이 보아야 할 때

먼 날들은 듬직한 태산처럼 마치 지켜주듯
너를 바라보고 있을 거야.
마음속 커다란 산은 아무리 숨기려고 해도
웅장한 실루엣으로 너를 에워싸고 있을 거야.
내일을 걱정하지 말자, 두려워하지 말자.
지금 내 코끝을 간지럽히는 바람이, 흙냄새가,
이리저리 몸을 살랑이는 풀꽃이
얼마나 사랑스럽니,
그것만 보자.
시시각각 변하는 나의 지금이
얼마나 경이로운지
가만히 초점을 맞추어

지금은 우선, 지금을 보자.

멀리 보아야 할 때

이상만큼 아름답지 못한 것은 어디에나 존재해.
가까이 거미줄을 보지 말고
고갤 들어 멀리 있는 아름다움을 보자.
그게 세상을 조금이라도
행복하게 누릴 수 있는 지혜일 테니.

온전한 진심이기를

나의 진심이 무례하지 않기를

때로는 나의 교만을 딛고 선
어떤 생각이나 감상이
정의이거나 안심이라고 믿는
오류를 범하지 않기를.

어른

철없는 말을 했다고 괘씸해 하지 않고
실수가 잦다고 한심하게 보지 않고
건방지지는 않은가, 무례하지는 않은가
평가하려 들지 않고
무지와 치기를 보거든
혀를 차기보다는
애정으로 이끌어 줄 수 있는
예를 받으려 말고 정을 먼저 베풀 줄 아는
넉넉한 마음을 지닌 진짜 어른,

내가 바란 그런 어른이
내가 되길 소망한다.

마음만 먹으면
마음을 담아
마음이 이끄는 대로

[뻔뻔하고 과감하고 용감하게]

방황과 혼돈으로
점철된 듯하지만

어쩌면
오늘도, 그때에도 나는 행복했다.

주문

너는 무력하지 않아.

지나 온 상황은 운명의 필요 때문이지
네가 만든 게 아니야.

앞으로의 상황은 네가 뜻하는 대로
변화시킬 수 있어.

한정된 너의 에너지는
네 모양새를 당당히 하는 데에 쓰자.
초라한 모습으로 기죽는 데에 쓰지 말고.

내 세상

내겐 아직 많은 문제가
너무 쉽게도 커다랗게 보여.
그만큼 내가 작아서.

내가 큰 사람이 되어야
문제는 그냥 한 점이 될 수도 있을 텐데.

나를 더 작아지게 만드는
그런 사람을 만나지 마.
나를 더 움츠러들게 만드는 그런 곳에 가지 마.
나를 아껴주고 내 마음을 덥혀 줄 수 있는
내 세상이 있다면 충분해.
나를 홀대하지 않는 세상,
위축되게 하지 않는 세상,
그게 내 세상이야.
우물 안 개구리라도 행복한 개구리라면
그래봤자, 나가봤자 논두렁 따위.....
몰라도 돼.

근사한 사람

쉽게 위축되고 퍽 예민한 탓에
나의 흐름을 놓치기 일쑤인 나는
남 앞에서면 최면을 건다.

나는, 내가 믿는 것보다 꽤 근사한 사람이야.

적당한 긴장

웃음이 크면 정색이 멀다.
큰 우호와 다정함 끝에서
정색까지 한달음에 달릴 수 있는
정신력이 되기 전엔
너무 환하게 웃지도 말라.

타인의 무례함은 불시에 찾아오고
나의 자존감은 내가 지켜야 하니까.

지난 일을 곱씹을 필요가 없는 이유

사람의 행위에는
한가지 이유만 있는 것이 아니니까.
시간이 흐르면서 또는 행위가 계속될수록
이유는 아주 쉽게 바뀌기 마련이니까.

사람은 망각의 동물인지라
과거의 동기는 물론, 지금의 기억도
나에게서든 상대방에게서든
곧 사라지게 될 테니까.

대수롭지 않은 일에
오랫동안 마음 빼앗기지 말기.

무엇보다, 너의 지금은 소중하니까.

조금만 덜 힘들자

비난을 지나치게 두려워하지 말자.
기준은 언제나 자기 자신이어야 한다.

모든 것이 논리로 설명될 수는 없다.
스스로 떳떳하면 그만이다.

남들의 동조를 구하고 공감을 얻느라
구구절절 토로하는 데에
아까운 시간을 쓰지 말자.

그래야 삶이 덜 힘들다.

죄만 아니면 하고픈 대로 하고 살아

사람이 추구하는 궁극적 방향은 자유다.

내가 하고 싶은 대로 하고 살면
싸울 이유가 없다.
자신의 자유를 온전히 누릴 능력이 되는 사람은
굳이 마찰과 투쟁의 이유를 느끼지 못한다.

사는 거 그렇잖아도 힘들다.

죄만 아니면,
사소한 것부터 하고픈 대로 하면서 살자.
미간 찌푸리고 걸핏하면 싸우려들지 말고.

소신을 가지고 산다는 것

삶을 관통하는 생각의 줄기를
늘 생생히 유지한다는 것은 쉬운 일이 아니다.
다양한 사람과 분위기와 에너지들에 휩쓸려
쉽게 흔들리고 쉽게 놓치거나 쉽게 잊는다.

그러나, 일상 속에서 후회를 줄이고
나의 자존감을 지켜내며
내 생활의 리듬을 잃지 않기 위해서는
자신만의 소신을 공고히 하는 일에
소홀해서는 안 된다.

그리고 그 소신을 지켜내느라 발생하는
불편한 마찰들로 인해
관계의 올이 풀리거나
마음에 찰과상을 입지 않을 수 있는
요령과 내공, 단단함도 필요하다.

그래서 내가 하고픈 말은_

싸우지 말라.
그러나 지지도 말라.

죄 지은 거 없잖아?
지나친 것 없어.
나는 내 기준이 있는 거지.
소신이 있는 거야.
주눅들지마.

싸우지 마, 그리고 지지도 마!

지지않는 힘

납득이 되지 않은 채로
떠밀리듯 서두르지 말라.
납득이 되지 않은 채로
떠밀리듯 승낙하지 말라.
납득이 되지 않은 채로
떠밀리듯 이행하지 말라.

만약 납득이 되지 않은 채로
어떤 일이 진행되었더라도 괜찮다.
지나고나서라도 이유를 물어서
상황에 대한 이해를 하라.
스스로 판단하고
스스로 이해하고 행동하는 것이 핵심이다.
얼렁뚱땅 넘어가지 않는 것이 중요하다.
이해가 안 되면 멈추어라.

머쩍게 웃지말고 대충 호응하지 말고
떠밀리지 말고
잠깐이고 한참이고
행동도 말도 표정도 멈추어라.

멈추어 서 있는 힘이 '지지않는 힘'이다.

무리하지 않기

나에게도, 상대방에게도
무리가 되지 않는 선에서 만나고 나누자.

나를 낮추는 겸손 중에도
주관과 명분은 반드시 있어야
내면의 평화를 헤치지 않을 수 있어.

내 것을 포기하는 아량 중에도
아닐 땐 아니라고
단호히 말할 수는 있어야 한다.

그리고 그 감을 잃지 않으려
사람은 그래서
너무 가볍지는 않으려 노력해야 한다.

마음 총량의 법칙

즐거움이 커져야, 설렘이 커져야
헛헛함이, 두려움이 작아질 수 있어.

지금이 커져야, 내일이 커져야
어제가 작아질 수 있어.

마음이 힘들면 바쁘게 몸을 움직이고
오늘의 안에 많은 경험을 담으면
개중에 내 속을 시끄럽게 만든
그 고민의 크기를 줄일 수 있어.

집중

일이 잘 풀리지 않을수록,
마음이 헛헛할수록,
그저 나 자신에 집중하자.
지금 내 마음이 어떤지
지금 무얼 하고 싶은지
지금 내게 필요한 것이 무언지
무엇을 해야 내 마음이 평화로울지.

내 삶을 위한 원칙 하나.
지금의 마음에는
지금 눈앞에 있는 것만을
담을 것.

길

혹여 '길'이 있을지도 모른다는 믿음이
간혹 생긴다면
그 '길'은 의외의 방향으로 나 있을지 모른다는
전제를 잊지 말자.

고로, 해야 마땅할 선택은 언제나
그때 그때 직관적으로 움직이는 일.
내 본능, 내 감각이 이끄는 길로.

기준이 확실하면
언제나 길은 쉽게 보인다.

이상향

몸이 약한 것은 죄가 아닐지라도
마음이 약한 것은 때로는 죄다.

약한 마음은,
분에 넘치는 배려로
스스로 희생하고 뒤늦게 원망을 불러온다.
그럼으로써 많은 사람을
자신의 마음 속에서
악인으로 만들게 되는 것이다.

나는, 나날이 냉정한 사람이 되길 소망한다.
그게 내가 발전했다는 증거일 테니까.
그건, 너를 더 솔직하고 온전하게
사랑할 수 있다는 의미일 테니까.

단단한 마음으로, 휘둘리지 말자

"왜 배려하지 않나요?"
라고 말하고 싶었지만 이내 마음을 고쳐먹었다.
문제는 늘 나였음이 생각나서.

생각나는 대로 말하고
내키는 대로 행동하는 그 모습은
사실 중요하지 않았다.
움츠러들고 눈치를 본 내가 문제였을 뿐.

내가 뻔뻔했다면
그 사람의 배려 않는 마음씨 정도야
사실 아무 문제 될 것이 없었다.

에너지 절약

고민이란,
나름의 기준을 정하는 용도로만,
어떤 순간에도 떳떳하기 위해서만.

최선이란 가능한 한 무리하지 않는 선에서.

시간이나 에너지의 투입은
최소한의 절대 시간만큼만.

바람이 분다

바람이 불면

나는 이렇게 매번 흔들릴 테야.
흔들리는 일에 자유로울 테야.
바람 앞에 흔들리지 않으려
진땀 빼지 않을 테야.
우아하고 아름답게 흔들릴 테야.

어쩌면 그게 가식이고
위선에 불과할지라도

기왕 흔들릴 거
대책 없는 것보다는 그나마 낫잖아.

나를 내버려 둬 줘

마음껏 흔들리게, 미련하게 견디게.

굳은살이 박인 듯 어느샌가 무뎌질 때까지.
얄짤없는 인생 앞에 충분히 겸손해질 때까지.

가르치려 말고 재촉하지도 말고,
비난은 더더욱 하지 말고.

아직도 미숙한 내가
이리저리 부딪치고 상처받으며
삶을 견뎌 내는 건
오히려 기특하다고 응원해 줘.

글과 말이 아니라 몸과 마음으로
느리게 배우는 인생도 좀 존중해 줘.

용기는 내일을 위해서 필요하다

희망을 가지면 좌절만 더 잦을 뿐이라
섣부르게 긍정심을 갖기가 어려웠다.
그래서 희망에도 용기가 필요했다.
지금이 아니라 나중을 위한 용기.
결과가 기대에 어긋나도
수용할 수 있는 용기 말이다.
결과가 어떻든
오롯이 내가 감당하겠다는 그런 용기다.

그래서 용기는
어쩌면 내일을 위해서 더 필요하다.

두발자전거

내릴 거 아니면 차라리 달려.
멈추어 앉아만 있으려니 봐봐,
균형 잡고 서 있기가 어디 쉽니.

페달을 쉬지 말고 밟자꾸나.
아직도 현실이 익숙지 않은 내게는
그게 차라리 넘어지지 않는 방법이야.

잘 산다는 것

어떤 방식으로 살아가느냐가
중요한 것은 아닐 거다.
삶의 모습이 어떻든, 부족이든 불편이든,
지닌 만큼을 인정하고
스스로 편안한 방식으로 익숙한 패턴을 이루어
그 안에서 평안과 만족을 느끼며 산다면
그게 잘 사는 것 아닐까?

사치를 사수하자

철없는 해맑음과 무모한 용기,
반짝이는 의욕이 없다면
소소한 즐거움으로
연명해 죽어가는 인간이
얼마나 무기력하고
무가치하며 무의미하게
느껴질 것인가

적당한 사치만은
사수하기를.
누구는 철이 없다고,
누구는 의미 없다고
손가락질하더라도,
인생이 생각처럼 그리
거창하지 않다는 걸
잊지 말기를.

'즐거움'은 삶을 견디는 자의 의무다

살다 보면, 어느 날, 어느 시절엔
짊어진 짐이 유독 많을 수는 있다.
그렇다고 나의 소소한 즐거움을
마치 사치인 양 오해하고 포기해서는 안 된다.
처음은 그럭저럭 버티는 듯해도
어느 순간,
즐거움의 반대말은 무료함도 아닌
두려움이 되어 버리는 순간이 올 수 있다.

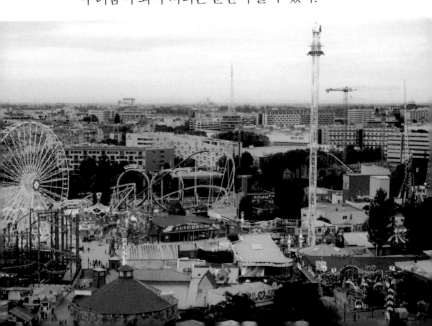

새털처럼 가볍게

미워하지 말자.
집착하지 말자 .
미안해하지 말자.

모든 순간 가볍자.
미움에 눌려 있지 말고
집착에 물려 있지 말고
미안함에 묻혀 있지 말고.
모든 순간 나 자신과 바짝 붙어 있자.

겁 먹지 말고, 싸우지 말고
단, 지지도 말고.

어디에도, 어느 생각에도, 어느 기억에도
머물러 있지 말고 이동하자.

내 인생에
튼튼하고 동그란 바퀴를 달아주자.

희망

이 순간에
나를 조금이라도 신선하게 하고
나를 조금이라도 움직이게 하고
나를 조금이라도 웃게 하고
나를 조금이라도 따뜻하게 하고
나를 조금이라도 빛나게 하는 그것,

그게 '희망'이라면

혹여 그것이 허무맹랑한 신기루 같을지라도,
혹여 나중에 실망하더라도,
나중은, 나중의 희망을 또 갖기로 하고

그렇게 사는 동안 내내..
지녀봄직도 괜찮지 않은가, 그것.

너에게 배운다

한 생명의 부모로, 엄마로 산다는 것은
참으로 경이롭고 감사한 일이다

너도 행복해야지

새끼 안은 품을 따뜻이 하려니
당최 날개를 펼 수가 있나.
깃 하나만큼도 남길 곁 없게 하려니
어쩌면 맥없이 움츠러든 듯도 하게,
시린 날들일수록 그렇게 나야지 하릴없다.

무슨 생각 하니, 지금?
틈으로 바람이 들 터, 정신도 꽁꽁 싸매야지!
그럼, 네 새끼 따뜻한 그 품처럼
웅크린 너도 어쩜 행복할 텐데 말이야.

밥부터 먹어

양수로 가득 찬 엄마 뱃속에서 처럼
속싸개로 꽁꽁 싸맨 몸이
오히려 편안했던 처음처럼

둥둥 떠다니는 나의 중심을
똘똘 동여맬 수 있게

왠지 허전하고 쓸쓸하고
무언가 자꾸 어긋나는 기분이 든다면

가득 채워 보자, 마음을.

사랑으로든, 호기심으로든,
카타르시스로든, 즐거움으로든
무엇에의 집중으로 말이야.

그리고 그 모든 것에 앞서서 우선,
배부터 채우자!

스스로 행복한 것이 어쩌면 최고의 선함

너에게 상냥하지 못한 사람은
자기 자신에게도 가혹한 사람이야.
너에게 인색한 사람은
자기 자신에게도 인색한 사람이야.
세상살이, 곳간에서 인심이 나고
석 자인 내 코부터 중요한 이유는
누구나 1순위도, 기준도
자기 자신인 법이라서.

너는 스스로 잘 챙겨 먹고
타인에게도 후한 사람이기를,
너는 스스로 잘 휴식하고 잘 즐기고
타인에게도 너그러운 사람이기를,
너는 성심으로 삶을 대해
타인에게도 진심인 사람이 되기를.
우선, 스스로 최선을 다해 행복한 사람이기를.

능동적인 삶

환영받는 사람이 아니라
환영해 주는 사람이 되렴.
너의 인생에서 키(Key)는 네가 쥐어.
네가 네 마음의 주인이 되어야지.
아주 사소한 것이라도
직접 선택하는 사람이 되렴.
배려는 중요한 가치이지만 그것이 습관이 되면
성숙하지 못한 사람들로부터 상처받기 쉬워져.
네 마음의 평화를 상하게 할 만큼
높이 있는 가치는 없다는 걸 잊지 말자.

타인에게도 좋고 너 자신에게도 좋은 것을
영리하게 찾아내는
마음의 바지런함을 익숙케 하렴.

어느 자리에서든 마음을 다해 너를 안착시키렴.
멍하니 있지 말고 모든 감각을 깨워
능동적으로 행동하는 사람이 되렴.

너부터 챙겨

자신을 먼저 챙기고 나면 남도 볼 수 있지만
남을 먼저 챙겨버릇하면
때때로 너 자신을 볼 수 없게 돼.
그러니까,
너부터 챙겨.

혼자 있는 시간을 두려워하지 마.
우리에겐 자신만의 많은 시간이 필요해.
'시간'을 너에 대한 집중으로 채울 때에
비로소,
너에게 필요한 건
다른 누군가가 아니라,
온전히 네 곁에 바짝 붙어 앉은
바로 '너 자신'이라는 것을 알게 될 거야.

어쩌면 이미 충분할 텐데

아이를 키우며 새삼 깨닫는 나의 내면 중 하나,
사람을 대하는 것에
대체로 자신이 없다는 것이다.

아이의 선생님과 이따금 이루어지는 상담이
나는 많이 어렵다.
이유는 단 하나다.
내가 아이에게 누가 될까 걱정스러운 마음에.
나의 일관된 됨됨이에 자신이 없는 것이다.
오늘의 내가 아이의 선생님께
어떻게 비추어질지, 상담 때마다 조심스럽다.
무엇인가를 기대하지 않고 바라지 않고
설사 나 때문에 아이가
선생님께 예쁨받지 못하더라도,
엄마로서 내가 행한 최선을 믿고
무조건적으로 선생님을 믿고
존경할 자세면 충분할지도 모를 일인데도
나는 아직 그렇다.

매일 너를 마주 보도록 노력할게

순간을 예쁘게 담아내고 싶어서
엄마가 참 귀찮게도 많이 했지.
사진을 볼 때마다 그날, 그 거리,
그 풍경과 함께
조그만 꼬맹이가 멈춰 섰던 수십 초가
같이 떠올라서 괜히 짠해져.
지겨웠을 법한, 사진을 위한 시간들을
착하고 순해서 묵묵히 견뎌 주다
이따금씩 표정으로 저항하던 네게 미안해져,
앞으로는 그러지 말아야지 다짐을 하곤 했지.

언제든 너는 마음껏 걷고 뛰고
웃고 이야기하길.
내가 바지런히 뛰고 쫓고 낮추어 너를 담을게.
너와 마주 보기 위해서라면
언제나 아주 많이 뛰어야 하겠지만
네가 지은 웃음에 잠깐의 멈칫거림 없도록
기꺼이 엄마가 더 바쁠게.

'엄마'라는 사람에게 '지금'의 가치란

내일을 모르니까
지금 한 발짝이라도 옮기려는 듯 살아야 해.
언제 또 숨이 넘어갈 듯 헉헉댈지 모르니까.
언제 또 사방이 깜깜한 가운데에
나만 혼자 놓인 기분이 들지 모를 일이니까.

내일 내가
조금이라도 '사는 듯이 살려고'가 아니라
내일 조금이라도 너에게 덜 미안하려면
나는 지금 이 악물고 오늘을 밟아 나아가야 해.

나의 지옥은 어쩌면 또 너의 그것일 테니까.

과정에 불과한 날들

오늘 하루 속에서도 우리는
무수히 많은 일들의 결과를 내려고 하지만
실은 우리의 수많은 하루하루가
그저 아주 오래 뒤를 위한
과정에 불과한 날들이 많더라.
이룬 것 없어 보이는
오늘이나 요즘이나 혹은 몇 년이라도
어느 세월 하나 불필요하거나
귀하지 않았던 날은 없는 거더라.
내 하루의 가치를 의심하지 말고,
조바심 내지 말고,
그냥 맛있는 거 먹고 사랑하는 사람들을 아끼고
이웃과 웃고 너 자신을 사랑하다 보면
어느샌가 어떤 때에든
'나쁘지 않았어.'라고 말하곤 하는,
씩씩한 너를 만나게 될 거야.
그거면 된 거야.

너를 만나러 가는 길

당연히 괜찮지 않았을 거야.
잠깐 딴 생각을 하는 사이 진도를 놓쳐서
진땀 빼며 친구들의 페이지를 기웃거렸을 테고
친구와 장난이 격해져
웃으며 시작한 일에 씩씩거렸을 테고
친해지고 싶은 친구를 괜히 놀렸다가
선생님께 야단도 맞았겠지.
어쩌면 오늘은 왠지 외로웠거나
소외감을 느꼈을 수도 있고
다 아는 걸 나만 모르거나
친구들은 있는 무언가가 나만 없어서
의기소침했을지도 몰라.

눈물을 꾸역꾸역 참는 표정,
마음을 숨기는 너의 안쓰러운 표정,
내가 못 보는 그 시간 동안
내가 아는, 내 마음을 후벼 파는 그 표정을
도대체 몇 번을 지었을지 모를 하루잖아.

오늘 하루,
얼마나 많은 일들이 있었을까,
얼마나 많은 긴장과 속상함이 있었을까,
널 만나는 그 순간에
놓치지 않고 헤아리자고
매일 다짐을 해.

나의 어린 날의 하루라고
어른들의 그것과 다름없이
퍽 고됐었다는 걸,

매일 매일 다시금 되새기며 너의 마중을 나가.

큰 그림을 그리는 낮은 아이

예상대로 되는 일보다
예상치 못한 방향으로 흐르는 일이
세상엔 더 많아.
하지만 그렇게 오래 걷다 돌아보면
흐름이나 결과는
더 좋은 경우도 많지.

그건,
'모든 일은
나에게 좋은 방향으로 흐름'이
이치이기 때문도 맞겠지만

장애물이 있을 때에
숨을 고르고 나를 돌아보고
낮은 자세로 포복해
견뎌 낸 결과이기도 할 거야.

자책하지 마, 따뜻한 아이야

할 수 있는데,
무엇 때문에든 지친 너라서
하기 싫으니까,
하기 싫어서 안 하는 게 미안하니까
화가 나는 거야.
냉정하면 화날 리도 없는데
마음은 따뜻하니 화가 나는 거야.

힘든데 자책까지 하지 말고 힘내,
괜찮아, 따뜻한 아이야.

스승 어록 (1)

여섯 살, 너 :
    이건 가짜야, 진짜는 (지금의) 나잖아.

나 : 이 아이가 커서 지금의 너인 거잖아.
    이 사진 속이 가짜면
    너도 가짜라는 거 아니야?

여섯 살, 너 :
    아니야, 지금은 이게(사진 속) 가짜고,
    이때(사진 속)는 지금 내가 가짜지.

'지금'을 살자!

스승 어록 (2)

나 : '젊어서 고생은 사서도 한다.' 라는
　　말이 있어.
　　어차피 누구에게나
　　평생 감당해야 할 고생은 정해져 있는데
　　생각과 마음과 몸이 더 쌩쌩한
　　젊은 날에 힘든 게
　　차라리 더 낫다는 말인 것 같아, 내 생각엔.

여덟 살, 너 :
　　아! 젊을 땐
　　아빠, 엄마도 옆에 있어서 그렇구나?!

부모란, 존재만으로 가치 있다.

스승 어록(3)

운이 좋을 땐 절로 조심하게 되지만
운이 좋지 않을 땐 작정해도 마음이 쉽게 들뜨고
경거망동하게 된다.

어떤 꾸중에도 괘념치 않는 양
너는 지금 개구쟁이처럼 호기롭게 웃고 있지만
그 속은 올밋졸밋 불안하여
표리부동일 가능성이 크다.

"엄마, 미운 자식은 밖에서 미움받으니까
집에서 떡이라도 하나 더 줘야 한다는 거
아니야?"

그 여덟 살 꼬마, 너의 말을 꼭 잊지 말아야지.

나에게 미운 짓을 할 때 밖에서도 그렇다는 것.
집보다 더 차갑고 냉정한 시선 속에 있다가
내 품에 온 거라는 것.

언제나 문제는 '나'였다

너에게 화가 났던 게 아니었다.
레고 부품을 찾지 못해 칭얼대던 네가 아니라
너를 달랠 방도를 찾지 못하는
나에게 화가 난 거였다.
요 며칠 잠을 제대로 못 자
만사가 불편한 나 자신이 짜증스럽던 것이다.

늘 나를 곤란케 했던 건
무력하고 요령이 없고 인내가 부족한
나 자신이었을 뿐 상대방이 아니었다.

너는 언제나 사랑인 걸 나는 잘 알면서도
왜 그리 보채냐고, 왜 그리 힘들이냐고
때때로 탓을 해서 정말 미안해.

네가 보채서 힘이 든 게 아니라
그냥 내가 나의 이유로
상황을 통제하기 어려워했던 것이 문제였어, 늘.

너에게 냉정한 날은 나 먼저 외롭다

오직 따뜻한 시간만이 답인 줄은 알지만
한 번씩은,
폭풍우 몰아치는 듯한
오늘 같은 날도 필요는 하다.
고통은 타인이 해결해 줄 수는 없다는 걸
나는 많이 늦게 알았다.

하지만, 너는 잘 배워둬야 하지 않겠니.
내가 너의 일거수일투족을 함께 할 수는 없어서
내가 평생, 네 곁에 있을 수는 없어서
너는 반드시 잘 배워둬야 하지 않겠니.

밖에서 혼자 아프지 말고
차라리 내 곁에서 따끔하자고
조금은 냉정하게 너를 야단쳤을 뿐인데

나는 벌써 왜 이리 외로울까.

선택적 시행착오

답으로 가는 길을 어렴풋이 알고 있었지만
또 한 번의 수선스러운 과정이
마음 안에선 필요했어.
너라는 존재의 소중함을 다시금 깨닫고
네게 무례했던 나를 반성하기 위한 과정.
오래 써 온 일기장을 열면
어쩌면 해답 비스름한 걸
얻을지도 모른다는 건 알았지만
답으로 곧장 달려가서
탁! 하고 생각을 놓아버릴 일이
오히려 조금은 두려웠던 것도 같아.
따뜻하면 되고 너와 우리가 즐거우면 된다는
쉽고 근원적인 해결책으로
그래서 단번에 향하지 않고
굳이 마음에 무게를 얹고 또 얹고
차근차근 무게를 올려 기어이 낮아져
너에게 미안한 마음을
조금이라도 그렇게 갚고 싶었는지도 모르겠어.

방황

인생의 다양한 수를 알아가고
인생의 많은 카드를 손에 쥐는 과정이야.
너의 눈빛과 목소리가 날카롭다면
연마되는 너의 마음을 응원하고
나는 너의 마음을 녹여 두드려
더 날카로운 칼이 될 수 있게
나의 모든 연료를 투입해
마냥 따뜻해질게, 너는 마음껏 방황하렴.

흔들릴수록 한 걸음씩 정성껏 내딛자

우리, 흔들려도 괜찮아.
내가 곧 중심을 잡고
언제나 문제는 '나'였음을 상기할게.
그냥 너라는 존재만으로 충분함을 잊고
날 선 말투와 눈빛에 꽂혀
위태롭게 흔들리는 그 '마음'은 또 못 보았지.

유약한 우리에게로
어떤 바람이 어디에서 불지 모르는데
언제까지 피할 수만 있을까.
묵묵히 무겁게 걸으라고 일러야지.

나부터 이따금 멈춰서서
물 한 모금 마시고 채비를 다시 하고
또 한 걸음, 한 걸음
바르게 정성껏 걷자, 너의 손 잡고.

나의 지극한 마음이면 충분할 일을

너무 귀한 네가 나는 늘 과하게 조심스러웠다.
너를 못 믿는다고 믿어왔다.
어리숙해서, 미성숙해서,
아직은 자기 중심성이 더 강한 '어린' 너라서
누구에게나 호의를 받지는 못 할거라고
생각했다.
세상은 믿을 게 못 된다고 믿어왔다.
많은 부분 미숙하게 마련인 아이들을
이해조차 해 보려 하지 않는 어른들이
많은 세상이니까.
하지만, 실은 나를 못 믿은 거다.
내 영향력을 믿지 못한 거였다.
너를 따뜻하게 데워주는 일에는
나 하나면 충분하다는 그 사실을 알지 못했다.
어느 한 사람의 지극한 마음이면
누군가의 어떤 냉소도
실은 아무것도 아니라는 것을 잘 몰랐다.

그래서 누군가의 말 한마디에, 짧은 눈빛에
어떤 날엔 너보다 먼저 내가
상처받고 겁을 먹었다.

하지만, 맘껏 만끽하고 와.
그것이 햇살이든 바람이든
눈이든 찬비이든 간에.
와서 닿은 그것이 차갑고 고되었을수록
가족과 우리 집은 네게
있는 힘껏 따뜻하고 포근할 테니.

치유

장롱 속, 오염된 채 오래 묵은 코트에
곰팡이가 피어오르는 것처럼,
어쩌면 우리는 상처 받아서 약해지는 게 아니라
상처 입은 마음을
온전히 치유해본 적 없이 묵혀서
삭아지고 헤지고 찢어지는지 모른다.
그래, 누군가,
말로, 눈빛으로, 행동으로
네 마음에 상처를 입히거든
흐느적거릴 것도 없이
씩씩하게 걸어 집에 오렴.
오렌지색 창가, 저녁 밥상머리에서,
노곤한 깊은 밤, 베개 곁에서
다 치유해 줄게.
지겨울 만큼, 차고 넘칠 만큼 위로해 줄게.
때 묻은 스웨터 자분자분 빨아
향기로운 직물용 린스까지 곱게 입혀
햇빛에 누여 보송하게 말리듯

여리고 소중한 너의 마음
아주아주 정성스레 치유해 줄게.

꿈꾸는 대로

불평만 하며 산 줄 알았지만
우리는 멈춘 적이 없었네.
엉킨 실타래처럼,
시작도 끝도 영영 알 수 없을 것처럼
빙빙 돌았지만
우리는 운명의 끈을 놓은 적이 없었지.

꿈만 꾸어도 괜찮아. 그냥 너는 꿈만 꾸렴.
엄마는 불평만 하며 살았는걸.
그래도 오더라, 언젠가는.
우리 아들, 투덜대며 걸었던 거리에서
그냥 아빠, 엄마 손에 이끌려 당도했던
에펠탑에서처럼,

그냥 꿈만 꿔도, 그냥 투덜대는 양 보여도,
결국엔 도달해 있을 거야.
'네가 바라는 너'에게로.

반짝이자, 우리

어떤 맘에 안 드는 어제라도
괜히 복기하지 말고
천진한 '나'와 '지금'에 초점을 맞춘 채
유쾌한 순간들을 보석처럼 여기저기 숨겨놔 봐.
그럼 멀리서 보면 너무나 반짝이는 사람,
그게 바로 너일 거야.

같이 참 좋아

내가 따뜻한 건,
그냥 나를 위해서야.
그러니까 아무도 부담 가질 것 없어.

그럼에도 나는 너에게
얼마나 많은 상처를 주었을까.
내가 아는, 내가 모르는
내가 네게 내었을 수많은 생채기를
혼자 얼마나 쓰다듬으며,
어쩔 줄 몰라 하며
여기까지 왔을까.

따뜻한 공기면 충분해

합의도 타협도 일치도 아닌
서로 다른 그 상태 그대로를
어떤 무리함 없이
그냥 인정하는 태도로 무장하자, 우리.
내내 나란히 걸어야,
하다못해 접점이라도 있어야
'우리'인 줄로 아는 오해를 접고
'너와 나' 사이에 따뜻한 공기 한껏 품은
얼기설기 털 스웨터처럼,
그 한 올, 한 올들처럼 말이야.

그냥 너는 거기에 있어도 돼.
나도 그저 여기에 있을게.
너와 내가 '우리'일 수 있는 건
서로 매번 일치해서가 아니라
때로 엇갈려 멀어지듯 나아가더라도
우리 사이를 가득 메운
따뜻한 공기가 존재하기 때문이야.

행복은 가까운 곳에

서로에게 덜 상처 주는 방법을 아는 관계가
얼마나 귀한가.
익숙한 누군가와 익숙한 어느 곳에서
밥 먹고 차 마시고 이야기 나누는 시간이
어쩌면 행복의 전부일지 모른다.

'좋은 관계'에 대하여

매일 맑은 날일 수는 없다.
나의 컨디션과 감수성이 그날 그날 달라
나라는 한 사람 안에서도
나의 이상향과
매일의 현실을 사는 내가 서로 다툰다.
늘 좋다, 라는 것은 하물며 타인과의 관계에서
가능할 리가 없는 것이다.
'좋은 관계'라는 것은 그래서
꼭 하나의 모습이 아니다.

때로는 삐그덕거리고
각자의 마음에 균열이 이는 듯한 기분으로
한 시절을 보내더라도
그래도 어느샌가 다시 그 곁에서
마음이 나긋나긋해지는 관계,
그래도 함께인 것이 좋은 날이 더 많고
그래도 있어서 힘이 되는 참 고마운 존재,
그거면 충분한 것이다.

각자는 모두 다름을
매번 거듭 확인하는 관계여도
인정하고 받아들이고
사랑할 수 있는 관계,
어쩌면 그게 바람직한 관계인 것이다.

내 말을 잘 들어 주고
내게 호락호락해서가 아니라
곁에 있으면 따뜻하고 즐겁고 든든한,
용감하고 매력이 있는 그런 사람.
그냥 나 자신이 그런 사람이면 충분하다는 것,
잊지 말았으면 한다.

정성

대상을 향한 지극한 마음을 갖게 되면
'내가 할 수 있는 일이 이것 뿐'이라는
낮은 마음이 절로 생기고
그 작은 것에도 정성을 쏟게 된다.

얼마나 고마워

내 마음을 데워주는 것만 보자.
한겨울 손난로 같은 그것들이 있음이
얼마나 고마워.

겪어야 할 일, 지나갈 일,
지나고 나면 잊힐 일에
오래 마음 두지 말고

종아리에 모래주머니 찬 것처럼
당최 발이 떨어지지 않더라도
무겁게 무겁게 한 걸음 또 한 걸음을
'한 곳'만 보며 웃으며 내디뎌야지.

의연한 사람이 되어 볼게

때때로 흔들리는 네 마음 따라
덩달아 흔들거리지 않도록
마주 보기 낯선 얘기에도
네 시선을 피하지 않도록
어연간한 오해는 감수하고
어연간한 무례는 감안하고
어연간한 상처는 감내하는
그런 굳건한 사람이 되도록 노력할게.

내가 바랐던 그 누군가가
내가 되도록 노력할게.
내 앞에서 만큼은 지극히 당연히도
네가 나약한 한 사람일 수 있도록
내 앞에서 만큼은
맘껏 솔직해질 수 있도록
내가 더 노력할게.

마음을 믿기

'상황'이라는 색으로 덧칠 된,
누군가의 들리는 말,
보이는 표정에 의존하지 말고

보이지 않는 마음을 믿자.

다음은 너야

부러워하는 누군가의 칭찬을 들으면
나의 그것을 깎아내리기에 바빴다.
그것이 겸손이라고 생각해서였는지
부러운 마음을 덜어주려는 배려였는지
이유는 나도 잘 모르겠지만.

가까운 기억을 예로 들자면
아이 7살 때, 애 아빠 육아휴직 쓰고
두 달간 유럽 여행 다녀왔던 때,
부러워하던 사람들에게 나는
힘들었던 일, 고생했던 기억들을
끄집어내어 말해 주기에 바빴다.
물론 고생했고 힘들었던 게 사실이고
겁 많고 걱정 많은 내게는
그것이 주된 정서이기도 했지만.

그때의 사진들을 들여다보며
지금은 그런 생각이 든다.

[응, 좋았어.

모든 게 낯설었지만 새로웠어.

두렵기도 했지만 잘 이겨냈어.

부럽다고? 다음은 네 차례야.

내가 부러워할 만한 즐거운 일을

너도 곧 하게 될 거야.]

그렇게 말해 줄 걸.

누구와라도

내 경험의 긍정적인 부분을 함께 나누고

그 누구에게도

다음의 희망을 이야기해 줄 걸.

외로움도 움직인다

일시 모두가 행복할 수는 절대 없을지도 몰라.
빛이 있으면 그림자가 있듯이.
어쩌면 내가 외롭지 않다는 건
그건 다른 누군가가 외롭다는 뜻일지도.
혹시 내가 외롭다면
지금 내가 세상의 어둠을
조금 나누어 가진 것일 수도 있어.
무엇이어도 괜찮지 않니?
어차피 세상은 함께 사는 곳이니까.
쓸쓸한 정서도 사람을 배우게 하는 법이니까.
그렇다고 외로움을 너무 오래 끌어안지는 마.
즐거움은 찾는 이가 많아 바빠서
스스로 오래 머무르는 법이 없지만
외로움은 무거워서
잘 움직이지 않으려는 법이거든.
외로움이 너무 오래 너만 누르지는 않도록,
창문 밖이 아름다울수록
지금 자리 털고 일어나 바람이라도 쐬어 보자!

각자의 최선

누구나 각자가 할 수 있는 최선을 다하며 산다.

내 기준에 부합하지 않는
어떤 행동을 하는 누구라도
그 나름대로는 자신이 할 수 있는
최선을 다하며 사는 사람.

타인에게 주는 피해 없이
평범하게 각자의 삶을 영위하는 누구라도

함부로 비난받아 마땅한 사람은 없는 이유이다.

타이밍

내가 이렇게 힘들 때

다른 사람은 힘들지 않으리라는 보장은 없다.

때로는, '이런 때, 내가 힘을 보태 주어야지.'를

몰라서가 아니라, 미안하지만, 당장 나도

어쩔 도리가 없는 상태일 때가 있다.

모든 것을 이기는 건, 관계의 중요도가 아니라

결국 자신이 처한 상황이다.

그것은 고통을 겪는 이의

어려움의 경중과는 무관한

완전히 독립적인 일이다.

내가 힘들 때, 누군가 힘이 돼 주는 건

말할 수 없이 고마운 일이지만

또 다른 누군가에게는 그것이

여의찮았다고 해도

그것이 관계의 진정성을

섣부르게 판단할 근거는 아니라는 얘기다.

모든 것은 인연 그리고 타이밍의 문제이다.

조금의 미안함은 가지고 살자.
한 순간도 놓치지 말고 기억에 꼭 쥐고 살자.
사람은 누구나 이기적이라
누구에게든 조금의 미안함은 지니고 살아야
그나마 타인에게
내내 성실한 인내를 발휘할 수가 있어.
사랑하는 사람일수록, 소중한 사람일수록,
살면서 분명 몇 번은 느껴 보았을
조금의 그 미안함은 마음속에 꼭 지니고 살자.

기대하지 않는다는 것

힘들어도 주변 사람 덕에 웃고
살 만해도 주변 사람 때문에
마음이 지옥이 되기도 하는 걸 보면
'삶에 대해 기대하지 않는다는 것'은 어쩌면
사람에 기대하지 않는다는 것과 같을지 모른다.
매일 따뜻하여 늘 나를 실망케 하지 않는
그런 타인을 바란다는 건
사실 나조차 참 피로한 일이기도 하다.
뭘 바란다면 나부터 그런 사람이라는
전제가 있어야 그나마 염치 있는 생각일진대,
막상 내가 그런 사람이 될 자신이 없으니 말이다.

모든 불완전한 것들을
자연스러운 것으로 받아들이고
기복을 타는 감정과 관계와 일진을 관망하자.
바라지 말고 무리도 하지 말고
타인에게 실망하지 말고
나에게 실망하는 타인을 인정하자.

마냥 받고 싶은 날

철이 든 듯해도, 혼자서도 울지 않고
잘 살 수 있을 것 같은 날들을
지내 봤어도
가끔 이렇게 오늘처럼, 마음이 텅 빈 것 같고
오직 받고 싶기만 한 날이 있다.
하지만 그런 날일수록 더더욱
사람들도, 그네들의 마음도 멀디 멀다.
그러다, 내 마음의 밀도가 낮음을 스스로
다행히 알아챈다면, 마음을 토닥이기 시작한다.

'뭘 또 받으려고.
남의 마음을 받으려 말고
내 마음을 주는 삶을 살자던 다짐을 되새기렴.
의지하지 않겠다던 각오를 되새기렴.'

잊고 있던 생각을 꾹꾹 밀어 넣어
마음의 밀도를 높인다.
그럼 조금 덜 춥다.

기다릴게

급하고 어수선한 너의 걸음을 굳이 쫓느라
우리 서로 발뒤꿈치 밟고 밟히며
생채기 나이느니
여기서 나는 차분히 기다릴게.
초조하고 불안정한 너의 마음을
방관하는 게 아니야.
언젠가 다시 너의 눈에 내가 들어올 때
나는 늘 따뜻이
너를 응시하고 있었음을 알게 하려고,
여전한 웃음으로 너를 맞이 하려고
들뜨는 마음과 들썩이는 발걸음
무겁게 누르며 애써 나도 견디는 거야.

나는 언제나 네 편이야

괜찮아, 이야기 해, 편하게.

너를 더 나쁜 사람이 된 것 같은
그런 기분이 들게 하지 않을게.
네가 아주 소심한 사람인 것처럼
그렇게 느끼게 하지 않을게.

이 순간엔 기꺼이 너와 함께 할게.
어떤 얘기든 용기 내고 감당해 볼게.

지금, 이 순간만큼은
나의 입장이 아니라 너의 마음만 생각할게.

혼자 끙끙대지 말고 이야기해.
난 네 편이야, 언제나.

어느 날 또 만나지겠지.
마치 오랫동안 함께 걸어온 것처럼
또 그렇게 웃으며 조잘거리며 걸을 길,
또 만나지겠지, 그거면 된 거지.

우리는 모두 위대하다

깜냥껏 삶을 견디고 있는 누구라도
남녀노소 모두가 경이롭다.
후퇴하더라도 다시 나아가고
무너지더라도 다시 일어나서
지금을 살고 있다는 것은 실로 대단한 일이다.
그저 생을 잇고 있음이면
그걸로 충분한 삶이다.
내일 또
사랑하는 이들의 얼굴을 볼 수 있잖은가,
그거면 된 거 아닌가.

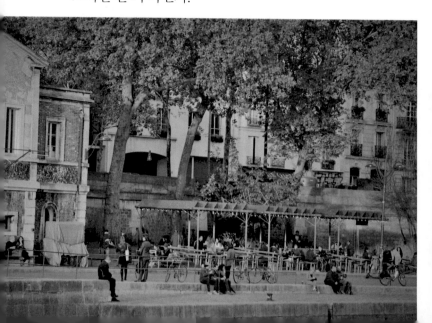

함께할게

네가 슬픔이라는 커다란 돌을 지고
충분히 울고 아파하고
모든 감정과 생각을 다 겪어 낸 후에
함께 돌을 받치고 쪼그려 앉은 내가
비로소 눈에 들어와 번쩍 힘을 내 줄 때까지
나는 그냥 얼마가 됐든 함께 울고 아파하고
그 시간과 무게를 견뎌 줄게.
그게 내 몫임을 잊지 않을게.

상처받는 이유

속마음은, 속사정은 알 수가 없지.
눈에 보이는 게 다라고, 내가 느끼는 게 전부라고
그리 믿은 게 아차 싶을 때가 있다.

각자의 생각대로 판단해, 혼자만 아는 인내를
도대체 얼마나 끌어안고 있을지
알 수 없는 인생들.
서로 출발지가 다른데
가운데서 미처 못 만나고
생각해 준답시고 몇 발짝을 더 나아갔다가
못 만나기도 하는 거지.
그냥 각자 내 갈 길,
내 몫만큼만 움직였으면 됐을 일을,
생각해 주다가...

어쩌면, '내 코가 석 자'인 사람들이
어설피 상대방 생각 따위를 해주다가
서로 실망하고 서로 상처받는 날도 많은 것 같다.

다 그렇게 산다

다 그렇게 산다.
내 안의 아이가 하루에도 수없이
상처받고 울고 때로는 분노하며
외롭게, 외롭게.

그래서 우리는
긍정적 피드백이 주어지는 일을 찾기를
계속하고 반복하며
덜 상처 받기 위해
뭉치고 애쓰며 살아간다.

끝이 아쉽지 않을 유일한 방법은
임하는 동안 치열할 것.

철들지 마

내가 철이 없어 고생을 하고
네가 철이 없어 내 속을 끓인다고 생각했는데

철이 없던 때에 어쩌면
우리는 더 많이 웃고 더 크게 웃고
더 열렬히 삶을 사랑했던 것 같네.
철없는 게 때로는 고마운 거였네.

가족

때로는 '내가 아니면'이라는 생각으로
마주해야 하는 존재.
내가 아니면 누가 이해해 주고 다독여 줄까.
내가 아니면 누가 챙겨 줄까.

거칠고 두려운 세상에
홀로 수도 없이 상처받는 인간이기에
가족은 그런 서로를
보듬고 치유해 주기 위해 만나진 그런 존재.

우리는 서로에게 오금

연약해 더 시려 웅크려 맞대어
서로를 지켜 내야 할,
안으로 굽어 서로에게 닿아야 할,
우리는 서로에게 오금.

매일 소중한 너에게로
마음이 돌아오면 된 하루.

가족은 심장 가까이에 있어서
가족에게 할퀴어지면
더 아프고 힘든지 모른다.
하지만 또 가족이니까 긁힌 곳, 찢긴 곳,
먼 산 보듯 흘깃 보고 말아야 할는지 모른다.
바라는 것 없이 그저 아끼는 마음 꽉 채우고

오늘 하루 뭘 먹었는지,
오늘 하루 얼마나 아름다웠는지,
오늘 하루 얼마나 웃었는지
오늘 밤 지쳐 곯아떨어지도록
얼마나 열심히 하루를 살아냈는지
그게 그냥 전부.

그땐 그랬어

새까만 어둠이 두껍고 무겁게 덮은 것처럼
그땐 그랬어.
내 마음이 얼마나 크고 넓든,
그 안에 얼마나 따뜻하고 소중하고 아름답고
빛나는 수많은 세계가 숨을 쉬고 있든,
그런 거 하나도 안 보일 만큼
두껍고 무거운 어둠이 물 위에 얹힌 듯
그냥 무겁고 그냥 숨이 막혔어.
내가 아는 내 세상은 그게 다였어, 그땐.
다시 나답게 살기 위해서라면
우선 그 장막을 다 걷어내야 해서
몸이고 마음이고 말할 수 없이 바빴지.

이제 다시 보여.
없었던 것이 아니라 가려져 보이지 않았던
아름답고 빛나는 소중한 경험들과 기억들은
어디 가지 않고 여전히 내 마음 안에 남아있네,
영원히.

봄은 오니까

꼭 기억해 둘게.
또 깜깜한 시간이 내 눈앞에 와도
묵묵히 고스란히 견디는 일만 해내자고
그러면 지나간다고
그때는 꼭 나 자신도 그렇게 잘 다스려 볼게.

에필로그

우리는 아름답기 위해 산다.
내게 어울리는 단정한 옷을 갖춰 입고
내게 걸맞은 적당한 치장을 하고
따뜻하거나 차가운 차 한잔을 하며
조곤조곤 일상의 가벼운 대화를 나누는 시간을
사랑하는 아름다움,
경박하지 않은 언사를 쓰며
입이 아니라 눈으로 웃는 그런 아름다움을
내내 추구하며 우리는 살아간다.
손쉬운 음식을 예쁘게 내어놓고
우리의 공간에 향기와 음악을 채운 채
소중한 이들과
하루의 일과를 공유하는 그런 삶.
궁극적으로 그것을 위해 우리는
숨을 쉬고 돈을 벌고
때로는 치열하고 때로는 고요해야 함이 아닐까.
언제고 아름다움을 놓지 않는 삶이기를
나는 오늘도 기도한다.

따뜻한 기분

발 행 | 2024년 01월 24일
저 자 | 옹z
펴낸이 | 한건희
펴낸곳 | 주식회사 부크크
출판사등록 | 2014.07.15.(제2014-16호)
주 소 | 서울특별시 금천구 가산디지털1로 119 SK트윈타워 A동 305호
전 화 | 1670-8316
이메일 | info@bookk.co.kr

ISBN | 979-11-410-6773-1

www.bookk.co.kr
ⓒ 옹z 2024